D0610421

uturikon - France 3
ur Qwak, Valérie Hadida,
aume Ivernel.
 Norman J. LeBlanc.
rio de : *Le retour de Roger*
as Barichella en collaboration avec
rent Turner.
ursdedragons.com

06, pour la présente édition.
 : Philippe Randol
verture : Valérie Hadida
rs : Katia Wladimiroff)
 du roman : François Hacker.

ai de Grenelle, 75015 Paris.

…le monde est constitué par des îles de toutes tailles, habitées par des paysans bourrus et des seigneurs cupides. Ils sont essentiellement préoccupés par deux choses : manger et ne pas être mangé !
Car ce monde est ravagé par un terrible fléau : d'horribles créatures à l'appétit monstrueux qu'on appelle les **DRAGONS** !
Du coup, le métier de chasseur de dragons est devenu indispensable à la survie du genre humain… Gwizdo et Lian Chu sont deux inséparables chasseurs qui font équipe et négocient leurs services.

## LES HÉROS

Gwizdo est le manager de cette PME (Principal Moyen d'Escroquerie). Pour négocier un contrat, il est redoutable : très pointilleux sur les clauses et intraitable sur les prix. C'est le cerveau du tandem !

**GWIZDO**

C'est lui qui zigouil[le] les dragons à tou[r] de bras. Car Li[an] Chu est une montagne, géant dot[é] d'une puissance incroyable. Mais, sous se[s] allures de brute se cache en fait u[n] cœur tendre...

**LIAN CHU**

Hector est un petit dragon qui fait figure d'animal de compagnie. Cependant, ses capacités dépassent largement celles du chien de base : car il piste aussi bien les truffes que les dragons les plus malins ! C'est une brave bête connaissant vaguement les rudiments du langage.

**HECTOR**

Âgée de dix ans, Zaza est la plus jeune fille de Jeanneline. C'est l'amie de Lian Chu, qu'elle admire. Son rêve le plus cher : partir chasser le dragon avec Gwizdo et Lian Chu.

## ZAZA

## LE SAINT-GEORGES

Une drôle de machine qui sert aux chasseurs pour se déplacer d'île en île. C'est Hector qui pédale comme un forcené pour faire avancer l'engin, pendant que Gwizdo est au gouvernail. D'habitude, Lian Chu se tient à l'arrière, il tricote…

Patronne de l'auberge du Dragon-qui-ronfle, Jeanneline prépare une cuisine raffinée à base de viande de dragons qu'elle se procure auprès de Gwizdo et de Lian Chu, en échange du gîte et du couvert.

## JEANNELINE

# LES DRAGONS

## LES BOURDONZES

Des morphales volants
aux dents très acérées,
très carnivores, qui se
déplacent en essaim. Là où
ils passent, généralement
ça trépasse.

## L'HORREUR ROSE

Ça vous grille un mouton à
plus de trente pas. C'est très
méchant quand ça défend son
territoire et encore plus quand
il y a des petits dans le coin.

## LE TANIMBAR

Un monstre à la combustion
fulgurante, qui lance des boules de feu
grosses comme des pastèques ; quand il
est fou furieux, ça donne un joli feu
d'artifice !

## LE RAMADUR ADULTE

Avec ses ailes et ses pattes griffues, cette créature immense, très féroce, crache du feu comme un lance-flammes – avec son arrière-train.

Une bête pas facile à chasser. Énorme, coriace, très effrayant, il crache des flammes et se déplace en volant. Signe particulier : il raffole des épis de maïs.

## LE NÉLICON JOUFFLU

## LE MARTEAU-PILON

(aplatissus marteaupilonus horribilis)
Ce monstre hideux à la mâchoire gigantesque dévore tout ce qui passe à sa portée : récoltes, réserves, légumes au sirop, brouettes… Une vraie calamité !

# L'AFFAIRE DES COUVERTS EN ARGENT

En ce petit matin ensoleillé, le jour se lève sur l'auberge du Dragon-qui-ronfle. Jeanneline, la patronne de l'auberge, s'active déjà. Elle vide les placards de la salle à manger à la recherche de quelque chose, bien énervée. Pas très loin, Gwizdo est assis à la grande table, tenant un couvert dans chaque main, l'air furieux.

— Dis, Gwizdo, lui lance-t-elle en râlant, tu t'es pas servi de mes couverts en argent massif, par hasard ? Tu sais, ceux de ma grand-mère ? J'étais pourtant sûre de les avoir rangés quelque part…

— Et toi, réplique Gwizdo, tu t'es pas servie de mon petit déjeuner, par hasard ? Tu sais, celui que j'attends depuis plus d'une heure ?

En guise de réponse, Gwizdo reçoit une serviette dans la figure. Et plaf !

— Toi, mon gaillard, menace-t-elle, tu mangeras rien d'autre tant que t'auras pas trouvé du boulot.

Gwizdo se débarrasse de la serviette et se tourne vers Jeanneline,

qui le fusille du regard. « C'est le moment de sortir le grand jeu, pense-t-il, sinon ça pourrait mal finir. » L'air d'avoir été piqué au vif, il monte sur sa chaise.

— D'accord, Jeanneline, c'est bon, t'as gagné… Je voulais te faire la surprise, mais tu ne me laisses pas le choix… Devine ce que j'ai là… ?

Il fait le geste de mettre la main à sa poche, tout en prenant un air de comploteur.

— Mon loyer ? demande-t-elle sans trop y croire.

— Allons, c'est bien mieux que ça !

— Une alliance… ? interroge-t-elle à nouveau, cette fois avec l'air de trop y croire.

C'est que, malgré ses plaintes continuelles contre Gwizdo, Jeanneline ne perd pas espoir de se marier un jour avec lui…

Mais ce dernier sort une affichette et la lui colle sous le nez. Lian Chu et Gwizdo y sont dessinés dans des poses avantageuses, debout

sur un dragon groggy, tenant un petit drapeau blanc en guise de capitulation. Sous le dessin, se trouvent une légende et une petite carte de l'île, avec l'indication de l'emplacement de l'auberge.

— Regarde-moi ce chef-d'œuvre ! J'ai fait placarder ça dans

toute la région. « Si un méchant dragon vous embête, Gwizdo et Lian Chu vous débarrassent de cette bébête contre un max de pépettes », lit-il, un sourire de contentement aux lèvres. Alors, heureuse ?

Gwizdo est très fier de lui, mais Jeanneline reste sceptique.

— Je te signale que presque personne ne sait lire par ici, rétorque-t-elle.

— Penses-tu ! répond Gwizdo, qui balaie l'argument du revers de la main. Tu t'arrêtes à de ces détails...

— Dis donc, demande Jeanneline, saisie d'une inspiration soudaine, ça doit pas être donné ces trucs-là... Le papier, l'encre, tout ça… Tu peux m'expliquer en peu de mots où t'as trouvé autant d'argent… ?

Pris de court, Gwizdo avale sa salive et se décompose peu à peu, tandis que Jeanneline, menaçante, rapproche son visage tout près du sien.

— Hein… heu… c'est que… comment dire… l'argent… heu… ?

— En tout cas, mon gaillard, j'espère pour toi que ça n'a rien à voir avec la disparition des couverts en argent de ma grand-mère… ?

Heureusement pour Gwizdo, Lian Chu et Zaza, la fille de Jean-neline, descendent l'escalier au même moment. Malgré l'heure matinale, ces deux-là sont déjà en pleine conversation au sujet de la chasse aux dragons, sujet qui passionne la petite fille en dépit de son jeune âge…

— Allez, Lian Chu, demande Zaza, dis-le-moi, comment on le combat le fréonle naturalis ?

— C'est un secret, Zaza…

— Allez, s'il te plaît, dis-le-moi… ! implore-t-elle. Je te jure de pas le répéter !

Lian Chu sourit devant l'insistance de la petite fille.

— Bon d'accord… Il suffit d'attacher ses deux pattes arrière à un arbre et ensuite…

Apercevant sa fille et Lian Chu en grande discussion, Jeanneline reporte aussitôt sa colère sur le chasseur.

— Lian Chu, combien de fois il faudra te dire que c'est pas des choses à mettre dans la tête d'une petite fille… !

— Mais, maman… intervient Zaza pour essayer d'amadouer sa mère.

Gwizdo s'avance lui aussi, l'air mécontent, vers Lian Chu.

— Oh, tu devrais avoir honte… C'est vrai, quoi… ? Qu'est-ce qui te prend de former la concurrence ? Tu trouves qu'on a trop de boulot, peut-être… ?!

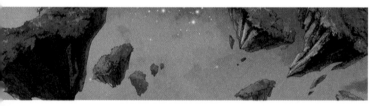

— Mais, Gwizdo…

— Non, mais attends, tu te prends pour qui, hein ? ironise Gwizdo. T'es pas son père.

Tout penaud, Lian Chu ne sait que répliquer. Mais une voix résonne dans l'auberge à cet instant et répond pour lui…

— Ah, ça, c'est sûr que vous êtes pas son père, vu que son père, c'est moi !

# CELUI QUE L'ON N'ATTENDAIT PLUS...

Tous se retournent surpris vers le nouvel arrivant. Mince et sec, une bonne trentaine, les cheveux roux et raides, l'inconnu a réussi son entrée. Jeanneline n'en revient pas.

— Roger... ??!! C'est bien toi... ?!?!?

— Roger… ? commente Gwizdo. Tu veux dire, Roger, ton ancien mari… Enfin, plus exactement, un de tes anciens maris…

Abasourdie, Jeanneline ne relève même pas la pique de Gwizdo, et commente comme pour elle-même.

— Il avait disparu depuis si longtemps, jamais je n'aurais cru le revoir…

Roger sourit, l'air rayonnant, plein de santé.

— Pourtant, ma belle… Tu vois, je suis de retour… ? N'est-ce pas merveilleux ?

Tout le monde n'a pas l'air de trouver cela aussi merveilleux que lui. Zaza, en particulier, qui s'est réfugiée derrière Lian Chu, apeurée…

Un peu plus tard, Roger est atta-
blé à la grande table de la salle à
manger et dévore d'un bel appétit
une cuisse de bouglor. Hector, le
petit dragon domestique, en a la
bave aux lèvres. Roger raconte ses
exploits en prenant des airs de
grand monsieur.

— Dans ma vie, pérore Roger

tout en mâchant avec fort peu d'élégance, j'en ai croisé des dragons, mais celui-là, c'était un monstre. J'avais découvert son antre dans la brume des montagnes...

— Un tanimbar... ? hasarde Lian Chu.

Roger ne répond pas. Ils sont tous réunis autour de lui. Zaza, à côté de Lian Chu, a le regard fixé sur son prétendu père. Jeanneline scrute elle aussi Roger et elle a comme un doute.

— Dis-moi, Roger, t'avais pas les yeux bleus... ?

Roger poursuit son récit, comme s'il n'avait pas entendu la question de Jeanneline.

— C'est là que les choses se sont

un peu compliquées… La bestiole, y'en avait pas qu'une…

Zaza se montre soudain très intéressée.

— Il y avait deux dragons ? demande-t-elle, impressionnée.

— Deux… ? Ha, ha, ha ! Tu es loin du compte, ma petite…

— Et tes cheveux, demande

Jeanneline, qui suit le fil de sa pensée, ils étaient pas bouclés… ?

Roger mord dans la nourriture sans prêter plus d'attention à son ex-femme. Gwizdo, qui s'est rendu compte du manège, fronce les sourcils. Zaza est de plus en plus épatée.

— Mais alors, en tout, ils étaient combien... Trois... ? Quatre... ?

Lian Chu, surpris qu'elle se montre si passionnée par le récit de l'inconnu, se tourne vers Zaza.

— Trois, quatre, répond Roger, j'en sais rien, je sais pas compter, mais en tout cas je peux vous garantir qu'ils étaient... PLEIN !!!

De plus en plus stupéfaite, Zaza se lève de sa place pour s'approcher de Roger.

— Wooow !!! C'est dingue ! Et tu t'es échappé quand même ?

— Moi et tous les Ghoodjous... Eh oui, j'ai libéré ce peuple opprimé sur lequel les dragons pondaient leurs œufs à longueur de journée...

— Le tanimbar, ça pond pas

27

d'œufs… fait remarquer Lian Chu, laconique.

— Oui ben, rétorque Roger sans se démonter, ceux-là ils en pondaient… !!! C'est vous dire s'ils étaient dangereux… !

Zaza tourne son visage rayonnant vers Roger. Lian Chu est terriblement déçu ; c'est lui qu'elle regarde comme ça d'habitude. Tout en mordant à nouveau dans sa cuisse, Roger daigne enfin s'adresser à son ex-femme.

— En tout cas, ma belle, je vois que tu n'as pas perdu la main.

C'est tout simplement délicieux.

— Et moi, je vois que tu as bien changé… Dans le temps, tu n'aimais pas ma cuisine…

# LE TEST

Après le déjeuner, dans la cuisine, Lian Chu fait la plonge tandis que Jeanneline essuie la vaisselle. Gwizdo ne fait rien du tout, sinon avoir l'air préoccupé. Zaza est restée dans la salle à manger et joue avec son prétendu père.

— C'est beau ce qui arrive à

Zaza, dit Lian Chu d'un air songeur. Un père qui revient alors qu'elle ne l'a jamais connu. Tu imagines, Gwizdo, si ça nous arrivait à nous ?

Mais Gwizdo n'imagine rien du tout et ne répond pas. Il se tourne vers Jeanneline.

— Dis, Jeanneline, tu veux pas le regarder encore une fois… ? Voir si ça te revient…

La patronne fait un pas hors de la cuisine et jette un coup d'œil en direction de la salle, puis s'en retourne vers les deux chasseurs.

— Non, Gwizdo, rien à faire, dit-elle discrètement. J'le reconnais pas. Enfin, je sais pas trop… La recette du bouglor à la tomate, ça s'oublie pas, mais une tête… Faut dire, j'ai pas vraiment eu le temps de le connaître… À peine on s'est mariés, il avait déjà disparu…

— Ben, dans le doute, rétorque Gwizdo, t'as qu'à le virer, comme ça t'arrêtera de perdre de l'argent à le loger à l'œil. C'est ce qu'on appelle le bénéfice du doute.

— Ben, qu'est-ce qui t'arrive, Gwizdo… ? demande-t-elle d'un air amusé. T'as peur qu'il prenne ta place… ?

— Moi… ? Peur… ? réplique Gwizdo, faussement offusqué. Mais pas du tout, voyons…

— Bon, conclut Jeanneline, on fait rien tant qu'on est pas sûrs. Ça ferait trop de peine à Zaza.

— Mais si c'est pas son père… objecte à nouveau Gwizdo.

Le visage de Jeanneline s'illumine soudain.

— Oh, mais j'y pense tout à

coup, il y a un moyen de savoir si c'est lui ou non… Roger, mon ROGER, il avait un petit quelque chose de vraiment unique, de vraiment très unique…

La nuit est noire et l'auberge semble profondément endormie. Mais tout le monde ne dort pas… Gwizdo et Lian Chu avancent silencieusement dans l'obscurité jusqu'à leur chambre.

— Quand je pense que Jeanneline lui a laissé notre chambre… ! chuchote Gwizdo. On n'est vraiment plus les maîtres chez soi. Puis, levant les yeux, implorant le ciel : Oh, protecteur des chasseurs de dragons dans la dèche… Faites qu'il ait cinq doigts au pied droit comme tout le monde ! Cinq, pas quatre… !

Il appuie sur la poignée, ouvre la porte. La chambre est plongée dans le noir. Roger est endormi dans le lit de Gwizdo et ronfle bruyamment. Lian Chu murmure tout bas à son ami :

— Gwizdo, ses doigts de pied,

c'est toi qui les comptes… Moi, j'ai peur de me tromper.

Pour toute réponse, Gwizdo pousse Lian Chu à l'intérieur de la chambre et le suit discrètement. Au bout du lit, dépassant de la couverture, les deux pieds de Roger ressortent. Mais ce dernier a gardé ses bottes ! Les deux chasseurs échangent un regard embêté. Puis, Gwizdo fait signe à Lian Chu qu'il faut s'y mettre. Ce dernier saisit la botte droite de Roger, tire fort, mais celle-ci ne veut pas venir. Il perd soudain l'équilibre et est projeté en arrière, les fesses contre le parquet. Le bruit provoque des gémissements chez Roger, qui se tourne dans son lit, comme s'il allait se réveiller. Mais, au lieu de

cela, il se met à parler dans son
sommeil.

« J'ai pas fait exprès, je vous le
jure… Non, vous énervez pas… !
S'il vous plaît, peuple de Jayapura,
calmez-vous… Tout va s'arranger. »

Gwizdo s'arrête net, tend
l'oreille, puis fronce les sourcils.

« Jayapura… ? » se demande-t-il,
intrigué.

Quelques instants plus tard, dans la salle à manger, Gwizdo est assis devant la grande table. À la lueur d'une chandelle, il consulte une carte. Lian Chu se tient près de lui, attendant patiemment que son ami lui dise ce qu'il lit.

— Ça y est… s'exclame Gwizdo. Je savais bien que ce nom me disait quelque chose… Jayapura, c'est là, tu vois, cette île en forme de pépite d'or…

**4**

# PREMIÈRE ATTAQUE DU DRAGON

Au petit matin, Jeanneline,
Gwizdo et Lian Chu sont en
grande discussion dans la salle à
manger. Gwizdo finit de raconter à
Jeanneline ses découvertes de la
veille, en enfilant ses chaussures.
Lian Chu est déjà tout équipé, les

armes à la main, et n'attend plus que son ami.

— Et ça va servir à quoi d'aller sur cette île... ? interroge la patronne d'un air sceptique. Jaya-machinchose... Sauf à me débarrasser le plancher ?

— Ça va servir à en apprendre plus sur cet imposteur, répond Gwizdo. Là-bas, on trouvera peut-être des gens qui le connaissent. Tu sais, si ça se trouve, ce type, il cherche juste à abuser de toi... à profiter de ton hospitalité et aussi de ta cuisine...

— Un peu comme vous, quoi... ironise Jeanneline.

Soudain, des bruits de pas se font entendre dans l'escalier, c'est Roger qui descend avec Zaza.

Toute pimpante, elle déborde d'énergie comme à son habitude, tandis que Roger est à peine réveillé.

— … et après on ira visiter la ferme, et nourrir Léopold… Léopold, c'est mon cochon… Tu verras, il est super sympa…

Roger s'affale dans un fauteuil ; il a l'air d'apprécier modérément d'avoir été tiré de son lit par sa fille.

— Oui, et ben moi d'abord, je voudrais grailler, hein, si ça dérange personne…

— Tout de suite, papa... Je vais te chercher une brioche...

Zaza va pour se précipiter vers la cuisine, mais Lian Chu se met en travers de sa route et lui pose la main sur l'épaule.

— Zaza, on part chasser le dragon, dit-il tendrement. Je sais que tu voudrais venir avec nous, mais...

— Ne t'inquiète pas pour moi, Lian Chu... répond-elle, pas contrariée du tout. J'ai plein de choses à faire avec papa, alors...

Sur le visage de Lian Chu, se lit la déception... Dans son fauteuil, Roger réagit à la déclaration du chasseur avec une lueur de panique dans le regard.

— Ne me dites pas que vous partez... ? C'est pas prudent de me...

de nous laisser comme ça. Enfin…
Et si… ? Chais pas moi, et si jamais
un dragon attaquait l'auberge,
hein ?

— Ça serait surprenant. Les dragons ne viennent jamais par ici…

À cet instant, un énorme
vacarme se fait entendre à l'extérieur. Comme un feu d'artifice.

— Enfin, presque jamais… corrige Lian Chu.

Paniqué, Roger court regarder à la fenêtre. Au-dehors, sur le pont menant à l'auberge, un gros dragon projette avec son bulbe dorsal des faisceaux lumineux qui se transforment en boules de feu rouge et or.

Roger se met à hurler et court se réfugier dans sa chambre en claquant la porte derrière lui.

— Vous allez voir, s'exclame Zaza, qui se trompe sur la fuite de son père, il va n'en faire qu'une bouchée de ce dragon… Il est parti chercher ses armes…

— Ah oui, tu crois, commente Gwizdo, c'est marrant, moi j'avais plutôt l'impression qu'il filait se planquer comme un lâche…

— Oui, ben, en attendant, intervient Lian Chu, je vais le faire patienter, moi, le monstre…

Lian Chu se dirige vers la sortie, l'épée à la main, et sort prestement. Jeanneline et Gwizdo se regroupent derrière une fenêtre, aussitôt suivis par Hector, tout excité par la perspective d'un beau combat.

— Zontaï !

Zaza se précipite dans l'escalier et crie :

— Eh, papa, dépêche-toi… Lian Chu commence sans toi…

Apercevant Lian Chu qui s'avance vers lui, le dragon lance des boules de feu dans sa direction. Le chasseur les évite de justesse en roulant sur le côté. Puis il se relève rapidement et, avisant un arbre, grimpe jusqu'à son sommet. Le dragon le vise aussitôt. Sous l'impact de la boule de feu, l'arbre s'illumine et s'enflamme. Du haut de l'arbre, Lian Chu se jette sur la bête. Mais d'un coup de tête, celle-ci se libère et le propulse contre un rocher. Le choc est sérieux. Cependant, le dragon détourne son attention de lui, et soudain, n'a d'yeux que pour l'auberge. Ses yeux scrutent la fenêtre de la chambre du premier, où Roger apparaît, tremblant comme une feuille.

Le dragon pousse un hurlement et se précipite vers l'auberge. Mais il est stoppé net par Lian Chu qui, ayant récupéré ses esprits, tient la queue de la bête et la tire en arrière. La bête ne peut rien faire, incapable de se retourner. Lian Chu la tire jusqu'au bord du précipice qui borde l'île de l'auberge, puis la balance dans le vide.

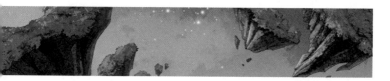

Hector est le premier à le rejoindre dehors pour le féliciter, suivi de près par Gwizdo et Jeanneline.

— Bienouéj, Tchu !

— Bon, Jeanneline, avance

Gwizdo, l'air de rien, on fait comme on a dit, d'accord… ? Je te prépare un petit contrat tout simple pour prestation d'urgence… Tu verras, rien de bien méchant…

— Mais on n'a rien dit du tout, oui… réplique Jeanneline, outrée. T'as surtout de la chance que je vous fasse pas payer pour les dégâts… Non mais, t'as vu dans quel état vous m'avez mis le terrain…

Les alentours sont effectivement un peu secoués. Quelques foyers brûlent encore. Roger fait irruption hors de l'auberge et regarde de tous côtés. Zaza apparaît à son tour derrière lui.

— Et le dragon… ? demande

Roger, hagard. Il est où ? Où est la carcasse… ?

— Enfui, répond Lian Chu.

— La carcasse s'est enfuie… VIVANTE ?!!?

— Ah oui, tout ce qu'il y a de plus vivante, ironise Gwizdo, ou alors c'était drôlement bien imité…

— Non mais c'est pas vrai, vous êtes vraiment nuls comme chasseurs, s'exclame Roger, furieux. Même pas capable de tuer un minuscule dragon !

Zaza est surprise par la réaction de son père.

— Mais enfin, papa, Lian Chu a fait de son mieux pendant que tu…

— Je veux pas le savoir, coupet-il, en rogne. Et puis, les petites filles ne contredisent pas leur père. File dans ta chambre que je ne te voie plus !

Zaza s'éloigne en pleurant vers l'auberge. Furieux, Lian Chu s'avance vers Roger pour lui régler son compte, mais Gwizdo le retient par le bras.

— Attends, Lian Chu, laisse faire Jeanneline. Elle s'en occupera beaucoup mieux que toi.

Effectivement, la patronne fulmine, rouge des pieds à la tête. Faut pas toucher à sa fille ! Elle

empoigne Roger par le col et le
soulève du sol.

— Passe encore que tu sois
lâche, Roger... Mais je veux pas
que tu parles à ma fille comme
ça... même si c'est aussi la
tienne... D'accord ? Alors, tu vas
aller t'excuser et tout de suite...

— Oui, Jeanneline... fait-il d'une

petite voix apeurée. Bien, Jeanne-line… Comme tu veux, Jeanne-line…

Elle le repose à terre, puis Roger se dirige, la queue basse, en direction de l'auberge. Gwizdo et Lian Chu échangent un sourire réjoui. Mais de courte durée, car Jeanne-line se tourne vers eux, toujours aussi remontée.

— Pourquoi vous souriez comme ça, vous deux ? Je croyais que vous aviez quelque chose à vérifier. Vous attendez quoi… ? Que j'aille chercher ma machette… ?

# 5

# L'ÎLE DE JAYAPURA

Le Saint-Georges, la drôle de machine volante qui sert aux chasseurs à se déplacer d'île en île, arrive en vue de l'île de Jayapura. Les chasseurs peuvent apercevoir un grand village avec des maisonnettes, la plupart dévastées. Quelques-unes fument encore.

Tout est noir comme du charbon. Le spectacle est désolant.

— Ben, dis donc, s'exclame Gwizdo, c'est bien plus beau sur la carte, Jayapura. Tu parles d'une publicité mensongère…

Lian Chu est concentré sur ce qu'il voit et il renifle dans tous les sens.

— Chêne et pin brûlés… Combustion fulgurante… Quatre lunes de ça…

— Ça t'embêterait de parler comme tout le monde ? fait remarquer Gwizdo.

— C'est un dragon qui a fait ça, continue Lian Chu, impassible. Le même dragon qui a attaqué l'auberge…

— Tiens, tiens… fait Gwizdo,

soudain intéressé. Je sens qu'on brûle…

Quelques instants plus tard, le Saint-Georges se pose sur la place du village. Les chasseurs descendent de l'appareil et observent les dégâts de plus près. Soudain, un homme se précipite vers eux, l'air ravi. Le chef du village.

— Ah, enfin, vous êtes là...
s'exclame-t-il. On ne vous attendait
plus. Alors, voilà, il faudrait com-
mencer par cette baraque-là. C'est
la halle aux légumes, le premier
bâtiment à reconstruire.

— Reconstruire... ? demande
Gwizdo, étonné.

— Ben, oui, continue l'homme.
Puis, pris d'un doute : Vous êtes
bien les frères Blindwood, les
menuisiers... ?

— Ben, non... répond Gwizdo.

Le chef du village, abattu par
cette nouvelle, se laisse tomber sur

une souche d'arbre et fond en larmes. Le chasseur essaie de le consoler.

— Ben mon gars, faut pas vous laisser aller comme ça. Je me présente, Gwizdo, et lui, là, c'est le terrible, le terrifiant, l'invincible Lian Chu. Vous avez certainement entendu parler de nous. On est chasseurs de dragons, les meilleurs sur le marché. Tenez, regardez !

Gwizdo sort fièrement une de ses petites affichettes et la tend à l'homme. Le chef la prend sans la regarder et s'en sert pour se moucher bruyamment, avant de continuer à pleurer à chaudes larmes. Puis, il sort à son tour une affichette de sa poche et la tend à Gwizdo. Surpris, ce dernier la fixe des yeux. Lian Chu s'approche de lui et regarde par-dessus son épaule.

— Roger… s'exclame Gwizdo, stupéfait.

— Le dragon… renchérit Lian Chu, tout aussi éberlué.

C'est une publicité pour un spectacle : le dragon est dans une cage,

et Roger, à côté, est vêtu d'une tenue voyante et bariolée. Dessiné au-dessus d'eux, un grand feu d'artifice.

— Vous les connaissez… ? demande le chef. C'est eux qui ont détruit mon village… J'aurais dû me méfier… Vous pensez, des artistes… ! Retrouvez-moi ces deux-là ! et je vous donnerai une fortune…

L'homme leur raconte par le menu ses mésaventures avec les deux saltimbanques. Roger et le dragon sont venus donner une représentation dans le village. Mais les choses ont mal tourné : le dragon s'est libéré de sa cage, et a tout détruit sur son passage.

— « Un spectacle qui fera partir

63

vos soucis en fumée », qu'il disait… conclut le chef d'un air las.

Gwizdo se ressaisit et flaire le bon coup : il y a sûrement des sous à se faire.

— Et quand vous parliez d'une fortune… Pour la capture de ce type… Je voudrais savoir, elle est grande comment la fortune… ?

En guise de réponse, le chef sort

un sac de pépites d'or qu'il ouvre sous le nez de Gwizdo. Il est comme hypnotisé. Mais Lian Chu saisit le bras de Gwizdo qui se tend vers le sac.

— Désolé, monsieur... fait Lian Chu. Mais chasser les humains, c'est pas dans nos cordes...

Gwizdo jette un regard courroucé à son ami, et lui lance en aparté :

— Non mais, qu'est-ce qui te prend... ? T'as vu les pépites... ?

— Gwizdo... Roger, c'est peut-être le père de Zaza... Alors, on le vend pas...

— Même pour très très cher... ?

Comme Lian Chu lui fait « non » de la tête, Gwizdo tente un dernier coup.

— Et le dragon… On peut le vendre le dragon, lui… ?

Lian Chu fait signe que « oui ». Gwizdo retrouve aussitôt son plus beau sourire commercial et se tourne vers le chef. Puis, comme par magie, il fait apparaître un contrat et une plume.

— Mon collègue a raison… s'exclame Gwizdo. On ne fait que les dragons… Mais on le fait bien… Hein, attention, du bel ouvrage… Livraison en quarante-huit heures… Installation gratuite… Service après-vente… Et tout et tout… Alors, voilà le contrat… Vous en faites pas pour la somme, je la rajouterai après… Tenez, faites une croix ici, là, là et là…

# 6

# LE DRAGON CONTRE-ATTAQUE

Sur le chemin du retour, le Saint-Georges vole dans les airs au milieu des îles. Hector pédale comme un forcené. À côté de lui, Gwizdo ne cesse d'admirer son contrat. Derrière eux, Lian Chu a l'air préoccupé. Il tapote l'épaule du pauvre Hector.

— Mets les gaz, Hector… ! Le dragon va revenir à l'auberge pour se venger de Roger… Zaza et Jeanneline sont en danger…

Hector, en sueur, grimace dans l'effort.

— Ralakasket ! Moi toulboulo !

— Pas étonnant qu'il voulait pas qu'on quitte l'auberge… fait Gwizdo à Lian Chu. Il voulait qu'on le protège, le lascar. Et gratis en plus. GRATIS, tu te rends compte ?

Pendant ce temps, à l'auberge, c'est le branle-bas de combat. Toutes les fenêtres ont été obstruées par des planches en bois. Zaza et Jeanneline finissent de clouer une latte sur une fenêtre du

rez-de-chaussée. Roger, assis tran-
quillement sur une chaise de
l'auberge, sortie à l'extérieur pour
l'occasion, se la coule douce.

— Dis, tu pourrais au moins
nous aider… lance Jeanneline à
son ex-mari, très agacée.

— Je fais que ça, Jeanneline…
Là, tel que tu me vois, je suis en

train de réfléchir à la tactique à adopter si le dragon revenait... Pour vous protéger, tu comprends...

— Ah oui, vraiment, et t'as trouvé quoi comme tactique... ?

— Eh bien... c'est-à-dire...

Le ton de Jeanneline se fait soudain plus pressant.

— Je te demande ça, parce que là, il y a comme une urgence, si tu vois ce que je veux dire...

— Papa, le dragon... !!! crie Zaza.

Roger se retourne, affolé. Le dragon est de retour : blessé, se déplaçant difficilement, mais plus que jamais menaçant. Il pousse un cri de rage, qui tétanise Roger. Zaza file dans l'auberge et en ressort aussi sec, traînant derrière elle une lourde épée pour la remettre à Roger. Elle lui lance d'un ton enthousiaste :

— Tiens, papa, voilà une épée… ! Montre-la-nous, ta tactique… !

Roger, sidéré, regarde Zaza, puis l'épée… avant de prendre ses jambes à son cou pour se réfugier dans l'auberge, en claquant la porte derrière lui.

Zaza regarde la porte fermée sans comprendre. Jeanneline fait la moue.

— C'est bien ce que je pensais…

Le dragon se remet à hurler et se rapproche dangereusement. Zaza avise l'épée qu'elle tient toujours en main et, n'écoutant que son courage, s'élance vers la bête en poussant un grand cri de guerre. Jeanneline est morte de peur.

— Non, Zaza, non, ne fais pas ça... !

Le bulbe dorsal du dragon se gonfle et éclate. Des faisceaux de lumière s'éparpillent dans l'air et explosent les uns après les autres autour de Zaza, qui court dans tous les sens pour les éviter. Mais un des feux follets éclate juste à côté de la petite fille, qui est aveuglée. Elle tressaille, lâche son épée et tombe au sol, recroquevillée.

De la fenêtre qui n'a pas été entièrement placardée, Roger aperçoit la scène. Son visage respire la peur et la honte. Puis, il montre une soudaine détermination.

— Je peux pas laisser faire ça. Non, je ne peux pas...

Il sort brusquement de l'auberge et court au-devant du dragon qui va croquer Zaza. Jeanneline n'en croit pas ses yeux. Au moment où la bête va fermer sa gueule sur la petite fille, Roger plonge et

l'attrape pour rouler avec elle sur quelques mètres.

Furieux, le dragon se retourne et fixe Roger. Ce dernier essaie de garder le peu de sang-froid qui lui reste et commande à Zaza :

— Rentre à l'auberge ! Vite !

— Mais enfin, papa…

— Tu vas obéir à ton père, oui ou non… !

Impressionnée par son ton sans appel, la petite fille fonce vers Jeanneline et l'auberge. Une nouvelle salve de lumières est lancée par le dragon et des explosions retentissent autour de Roger. Pour les éviter, celui-ci court comme il peut. Il manque ainsi de tomber dans le vide qui entoure l'île, et se raccroche de justesse à une racine. Le dragon arrive devant lui et, d'un grand coup de patte, l'arrache du sol puis l'envoie dans le vide.

— Ahhhhhhhhhh !!! hurle-t-il.

Silence pendant un instant. Puis, soudain, de l'endroit où est tombé Roger, surgit le Saint-Georges…

avec Roger, solidement cramponné à la carlingue. Le monstre rugit de rage. Le manche à balai entre les mains, Gwizdo contourne le dragon avec le Saint-Georges, puis lance à son ami :

— À toi de jouer, Lian Chu… !

L'appareil vole en rase-mottes et

le chasseur plonge à terre. Une roulade, puis il dégaine aussitôt son épée.

Le bulbe rouge du dragon lance une pétarade de lumières, qui se transforment en boules de flammes et partent droit sur Lian Chu. Pour les éviter, il monte sur une grande pile de troncs d'arbres, attachés ensemble. Une réserve de bois. Lian Chu détache le filet qui les retient et la pile se désagrège. Tous les troncs se mettent à dévaler vers la bête, et Lian Chu court d'un tronc à l'autre. Les premiers troncs roulent jusqu'au dragon, qui perd l'équilibre et s'affale. Lian Chu profite que la bête est à terre pour sauter sur son dos. Il obstrue son bulbe en faisant une sorte de nœud avec sa ceinture et la peau de la bête, là où le bulbe doit gonfler. Puis il court se mettre à l'abri. Rapidement, le corps du monstre se met à gonfler, gonfler… et finit par exploser en un grand feu d'artifice !

# LA VÉRITÉ SUR ROGER

Pendant que Lian Chu est aux prises avec le monstre, le Saint-Georges s'est posé un peu à l'écart. Gwizdo et Hector ne perdent pas une miette du combat acharné qui se déroule. Lorsque le dragon explose, Hector exulte, tandis que Gwizdo se lamente d'avoir encore perdu une fortune. Quant à Roger, pour qui c'en est trop, il s'effondre, épuisé. Zaza accourt vers lui.

— Papa ! Papa ! Ça va… ? Puis, s'adressant à Gwizdo : Il m'a sauvé la vie… Vous vous rendez compte… ? Mon père m'a sauvé la vie…

Surpris, Gwizdo jette un œil à Jeanneline qui est venue les rejoindre, et qui confirme d'un signe de la tête. Gwizdo regarde à nouveau Roger. Son expression change soudain et il désigne le pied droit de Roger à Jeanneline. Dans l'action, la botte droite de Roger s'est déchirée et laisse apparaître cinq doigts et non quatre. Un pied normal. Jeanneline et

Gwizdo se regardent, stupéfaits.

— Zaza, demande Jeanneline à
sa fille pour faire diversion, si tu
allais nous chercher des bandages
pour soigner ton père... enfin
Roger... ?

La petite fille s'exécute sur-le-
champ, toute contente de pouvoir
s'occuper de son père. Lian Chu

rejoint le petit groupe. Jeanneline empoigne alors « Roger » pour le secouer et le faire revenir à lui. Ce dernier ouvre des yeux éteints.

— Qui êtes-vous… ? demande Jeanneline d'une voix sèche et sans appel.

Voyant qu'il est inutile de continuer à mentir, Roger lâche le morceau.

— C'est bon, dit-il d'un air las, mon nom est Robert… Mais je lui ressemble beaucoup à votre mari, pas vrai… ? C'est même comme ça qu'on a fait connaissance, dans une taverne où on m'avait servi son rôti. C'était il y a des années… Votre Roger, il m'a raconté toute sa vie… le mariage… sa fuite… l'auberge du Dragon-qui-ronfle… En fait, j'avais retenu le nom…

Il sort de sa poche une des affichettes de Gwizdo.

— Alors, quand je suis tombé là-dessus : deux chasseurs de dragons à la fameuse auberge… J'ai réfléchi et je me suis dit que ça valait peut-être la peine de tenter le coup…

— Qu'est-ce que tu veux qu'on en fasse, Jeanneline… ? demande Gwizdo. De la bouillie pour dragon… ? C'est toi qui décides… C'est offert par la maison… Ne dis rien, ça nous fait plaisir…

83

— Non, répond Jeanneline. C'est un lâche et un menteur. Mais il a sauvé Zaza. Puis, se tournant vers Robert : Par contre, je ne veux plus jamais vous revoir par ici. C'est bien clair ?

Robert acquiesce. Zaza revient en courant avec les bandages.

— Et Zaza… ? demande-t-il vivement. Est-ce que je dois lui dire que... ?

La petite fille s'apprête à soigner son père.

— Zaza, demande-t-il, est-ce que je peux te parler seul à seule deux secondes, s'il te plaît ?

L'homme se lève et entraîne Zaza à l'écart, en la tenant tendrement par l'épaule.

— Vous croyez qu'il lui dit la vérité... ? questionne Lian Chu.

— Franchement, vu le personnage, ça m'étonnerait... fait observer Gwizdo.

— Pour moi, l'important, commente Jeanneline, très attentive, c'est pas qu'il lui dise la vérité, mais une vérité qui ne soit pas trop dure à entendre pour Zaza.

Au bout d'un moment, Robert lâche les épaules de la petite fille, et tous deux reviennent vers le groupe. Robert s'adresse à eux :

— Bon, allez, faut que j'y aille… Je vais pas vous déranger plus long-temps… Merci à tous… Et surtout sans rancune… Puis, se tournant vers Zaza, plus tendrement :

Au revoir, Zaza.

— Au revoir… Monsieur…

L'émotion point au coin des yeux de la petite fille, mais elle tient bon. Robert s'éloigne sur le pont… et disparaît bientôt à l'horizon.

Le lendemain matin, Zaza et Lian Chu sont assis à la grande table de la salle à manger et dégustent un grand bol de chocolat, coude à coude.

— Tu sais, Zaza… fait Lian Chu, tendrement. Ton vrai père, il reviendra sûrement un jour…

— Il n'a pas besoin de revenir… Il est déjà là…

Surpris, Lian Chu regarde autour de lui.

— Ah, bon… Où ça… ?

Zaza se tourne vers Lian Chu avec de grands yeux.

— Ben, tu sais, mon vrai père, Lian Chu, c'est TOI… et Gwizdo aussi…

Lian Chu sourit, très touché par le compliment. Hector grimpe sur la table pour signaler sa présence, et se désigne du doigt.

— Pakool… Ktor…

— Toi aussi, Hector, bien sûr… C'est vous qui m'avez élevée depuis que je suis toute petite… Et on

peut dire que vous avez fait du bon boulot. Puis elle ajoute, espiègle : À part pour le fréonle naturalis ; c'est vrai, Lian Chu, t'as toujours pas fini de m'expliquer comment on l'attrapait…

— Ah, oui… se rappelle Lian Chu. Alors, comme je te disais, tu attaches ses pattes de derrière à un arbre et après, avec une grosse masse, tu…

Lian Chu est soudain interrompu par un grand cri qui déchire l'atmosphère tranquille de l'auberge. Gwizdo et Jeanneline hurlent en chœur :

— LIAN CHU !!!

— Mais, maman…

— Mais, Gwizdo…

Jeanneline et Gwizdo repren-

nent en chœur, avec la même véhé-
mence :

— COMBIEN DE FOIS IL FAU-
DRA QU'ON TE LE DISE… !!!
NON, MAIS !!!

# FIN

## QUELS NOUVEAUX DRAGONS GWIZDO ET LIAN CHU DEVRONT-ILS AFFRONTER ?

## POUR LE SAVOIR, REGARDE VITE LA PAGE SUIVANTE !

# Pour nos chasseurs de dragons préférés, l'aventure continue !

## Avec le tome 5 :
## Le Dragon par la queue

Voilà Hector, Gwizdo et Lian Chu partis pour Amazoonia, un territoire gouverné par des femmes qui n'ont peur de rien - excepté des dragons. Et justement, en ce moment, une bête monstrueuse dérobe leurs enfants ! Alors, ils partent en chasse avec l'immense Victoria, une championne de lancer de cochon. Mais bizarre, bizarre, cet effroyable dragon a des allures de créature de Frankenstein...

Retrouve tous les incroyables dragons
chassés par Lian Chu et Gwizdo
dans les histoires précédentes…

Zoria la terreur des
dragons

Zaza, aventurière en
herbe

Le trésor de
la mine perdue

# Le site de tes héros préférés !

**www.bibliothequeverte.com**

## QUOI DE NEUF ?

→ LES ACTUALITÉS DE LA COLLECTION

→ LES ÉVÉNEMENTS BIBLIOTHÈQUE VERTE

## CONCOURS

→ DE SUPER CONCOURS TOUS LES MOIS !

→ PLEIN DE CADEAUX À GAGNER !

## TOUT SUR TA SÉRIE PRÉFÉRÉE

→ TOUS LES TITRES

→ LES NOUVEAUTÉS

→ LES RÉSUMÉS ET DES EXTRAITS

PLEIN D'INFOS SUR LES HÉROS !

LA BIBLIOTHÈQUE VERTE